용서 지침서

김리나

시인의 말

그곳에선 언어가 필요 없었다.

2024 년 6 월

김리나

용서 지침서

차례

시인의 말

1부

2부

1부

너의 눈동자

그날의 순간들을

내 눈동자에 담아두어

얕고 얕은 세상임에도

깊고 깊은 바다너머로

빛이 비추는 장소로

넓은 우주를

헤엄쳐 헤엄쳐

가쁜 숨을 몰아쉬며

어딘가 에서든 살아 숨쉬길

기도할 뿐

그 방에는 언어가 없었다.

당신에게서 언어가 없었음에도

당신의 쿵쿵 울리는 심장박동이

내 귀에 들어왔고

내 가슴에 스며들었습니다.

그것이 오아시스였습니다.

순결

추악과 더러움이 무너트리고

몇 번이고 무너져 내리려 해도

천박해지지 않는

순수로

잔잔한 물결로

가장 강인한 순수가 결국 지켜준다.

하얀 마음

내 느린 한걸음 한걸음은

드리운 그림자에도

검어 지지 않는

하얀 마음

누군가에겐 자전적 역겨움

절대 꺼지지 않는

이 불덩이가 내 온몸을

휘감고 불태우는데

나는 타 들어 가는데

아파 몸부림쳐도

흙으로도 물로도

사그라들 기미조차 없고

어쩌겠어

샘 솟는 내 마음을

타는 고통으로

자꾸 꺼트리는데

어찌 할 까

죽지도 못하는데

불어오는 바람에

폭풍도 잔잔하게 간지럽히는

바람으로 변하게 되 있어

그때까지 살아남자

폭풍의 눈이 우리들을

쳐다보더라도

익숙해져야 해

언젠가 불어올

사근사근한 바람이

날 감싸 안아 주길

그때까지 살아남자

갇힌 토끼

가여운 토끼들은

서로를 핥아주며

하루하루를 그저 견딜 뿐

온몸이 결박된 채

서로의 눈을 핥아줄 뿐

나의 방안

낡은 여행을 떠나

내 좁고 작은 방안으로

텅 빈 그곳에 섞이지 않도록

가득 찬 그곳으로

잔뜩 웅크리려 해

누군가에겐 자전적 역겨움

아파하며 작은

숨을 내 뱉어

어떤 억울함도

어쩔 수가 없는 일

아 모든 아픔은

어쩔 수가 없어

차디찬 달빛만

나를 비추어

다시 새하얗게 칠해줄 이는

오직 나뿐

달이 비추는

보이지 않는 것을 비추는 푸른 달아

검은 세상을 손끝으로

더듬어 겨우겨우 그려내

아무것도 하지 않은

아무것도 할 수 없었던 나를

더듬더듬 그려낼 뿐

하나뿐인

무엇이 가장 문제일 까

하나뿐인 목숨이 문제야

그렇기에 다 소중한 거지

그렇기에 다 부질없는 거지

담배를 하루에 두갑씩 폈어

술을 매일 마셨어

수면제를 남용했어

하나뿐인 목숨이 문제라서

언제나 나무는

우왕좌왕 아파트 단지내를

걷다가 벤치에 앉았다

담배를 한 대 피고

그 벤치에 누웠다.

나무들이 하늘을 가려

듬성듬성 밤하늘이 보였다.

변덕스러운 것도 없이

나무는 거기에 있다.

밤을 가리며

겨울에는 내보이겠지 저밤을

어머니

보고도 못 본 척

들어도 못 들은 척

알아도 모르는 척

저희 어머니는 그런 사람이셨어요.

눈 가리고

귀 닫고

모르쇠

회피만 하던

사람이셨어요.

행복하셨을까? 불행하셨을까?

혼자 걷기

인생을 어찌 혼자 살겠어

라 고들 하지만

결국엔 사방이 적이고

사면초가

인생은 혼자가 맞고

연인 마저도 날

믿어 주지 않아

결국 혼자

걸어야 해

앞으로 앞으로

절름발이 여도 앞으로 앞으로

2부

희망사항이

희망사항이

나를 옥죄어

희망사항이

나를 애처롭게 해

다시 시작할 수만

있다면

더 바랄 게 없을 텐데

오늘도 꿈을 꿔

이룰 수만 있다면

간절하게 바래도

결국 날 비참하게 해

글러먹은 저입니다.

나의 자리

그냥 모든 게

제자리로 돌아 갔으면

좋겠어

잠들어야 해

이 피의 바람은

언제 그칠 까

돌아갈 수 있을 까

제자리로

그저 모든 게

희망사항

입모양을 읽었어

너의 이름의 뜻은

무릎 밑에 날개를 두어라 란

뜻이었어

나에게 모든 날 매순간이

특별했어

너의 이름 마저도

너의 눈빛 마저도

사랑해란 말을

입밖으로 꺼내지 않고

입모양으로 뻐끔대던

그 순간 마저도

도피성 잠

하루를 잠으로

리셋 해야 하는

강박이 있다.

오늘 하루 이만큼 버텼으니

잠이라는 유일한 안식처로

도피하고 싶은 마음

유독 잠이 오지 않는 날은

어찌해야 할지 모르겠다

잠들 수 있게 해주세요

나의 유일한 안식

꿈은 진실이 아니니까

악몽이 여도 괜찮아

얼룩

우는 거 밖에 못해서

울었어

용서해 달란 말처럼

역겨운 말이

또 있을 까

나는 나를 잃었는데

그게 어떻게

용서가 된다 생각해?

나는 온몸이 절여졌는데

너는 작 디 작은

얼룩일 뿐이겠지

도피성 잠

잠들지 않는 시간이

너무나도 괴로워

약도 들지 않고

어찌 할 바 모르겠어

고립된 나를

아무도 도와 줄리 없는

나를

재워주세요

깊은 잠에 들고 싶어요

안아주세요

그것

그것에 얽매인다, 사람은

그것들에 휘둘린다, 인간은

그것은 어디에나 존재한다.

애써 보지 않으려

노력해 보아도

그것들은 우리를 감시한다.

매순간 매시간

미치거나

나를 잃거나

그러지 않으려 그것에서

눈을 돌린다.

눈의 고요함

김 서린 버스의 창을

손으로 닦아

새 하얗게 소복 히 쌓인

눈을 보았다.

적막과 고요가 흐르는

찰나의 아름다움이

다친 나를 위로 해주었다.

닫힌 나를 숨쉬게 했다.

솔직했기 때문에

솔직하지 못했던 것에

후회가 많이 남아

조금만 나 답게

굴었더라면

우리 조금 더

깊이 지낼 수 있었을 텐데

못 하겠어요

"어서 내려"

나지막이 그가 말했다.

"못하겠어요"

힘없이 내가 말했다.

달리는 기차에서 내리면

죽을지도 모르는데

살더라도 아픈 건 분명한데

모든 어려움

정말이지, 이지

쉽다 쉬워

인생이 란 게 너무 쉽지

너는 왜 모든 걸 쉽게 생각하냐는 말을 들었다.

사실 난 모든 게 다

어려운데 말이야

잘 알지도 못하면서

나의 자리

모든 게 제자리로

모든 게 제자리로

돌아갔으면 좋겠어

내 자리로 돌아갔으면

너흰 너희 자리로 돌아가,

왜 나를

왜 나를

달팽이

나는 달팽이다.

보지도 못하고 듣지도 못하는

나는 달팽이다.

느리게 느리게 움직이는

나는 달팽이다.

오롯이 촉각으로만

더듬더듬 세상을

그려 나가는

나는 달팽이다.

보지도 듣지도 못하는

달팽이는 오롯이

촉각만으로 세상을 느낀다.

텅 빈 공간을 떠도는

느릿 느릿 더듬 더듬

세상을 모를까

더 깊은 세상을 느낄까

이렇게만

오늘은 생각했던 할 일을 다 끝냈다.

꿈을 향해 다가 갔을까

뿌듯했을까

내일도 이렇게만 해 주길

간절히 기도해 야지

간절히 바라야지

간절하니 해내야 지

편안하게 해주는 것들

향초를 키면

일렁이는 불꽃과

은은한 향기가

나를 들뜨게 하고

한편으로는 차분하게 만들어 준다.

향초만의 분위기가

꼭 필요해

향초로 하루를 마무리한다는 거

좋은 거 같아

타인

시선이 너무 싫어

왜 그렇게 남에게

관심이 많은 지

어떤 이는 사람들은

남에게 그리 관심 없다

말한다

허나 틀린 말이다.

일거수일투족 모든 걸

알고 싶어하고 궁금해한다

그 시선에서 도망치고 싶어

쟤는 어떻 데 쟤가 그랬 데

뭐,

그 시선들에 갇혀

아무것도 못하길

바라는 거지?

그런 악한 마음으로

넌 뭘 할 수 있을 거 같은데

피자

피자는 다 좋아

페페로니 피자

포테이토 피자

치즈가 많이 들어간 피자

인생도 피자

그러나

인생 도피자

새벽 5시 피자를 먹고 싶은데 꾹 참았어

참을 인 세번이면 뭐 라 더라

살인도 면한다 였나,

참을 인 세번이면

몸무게 앞자리는 바뀔 수 있겠지

피자, 피자, 피자,

이런 네 번은 못 참겠어

참을 수 없는 갈증

갈증이나 아무리 물을 마셔도

내 안에 연가시라도 있는 건지

오늘은 아무것도 안하고 쉬었어

내일은 일하러 가겠지

여기가 내 자리니까

니가 다시 돌아온다는 상상을

빛이 되 주는 상상을 한다 해도

결국 여기가 내 자리니까

내일은 일을 하러 가겠지

나의 생

다 부질없는 욕구일 뿐이지

그런데 그 부질없는 욕심들로

삶을 이어가

겨우 겨우

언제나 그만 살고 싶은데

어째 선지 그 부질없는 욕심들로

겨우겨우 겨우겨우

이어가 생을…

살고 싶게 해주는

구원자를 원해

단절로써

온 세상이 나를 괴롭게 할 때

나는 멀어져 세상과 멀어져

그리곤 하루 종일 음악을 들어

머릿속을 음악으로 채워

볼륨을 높여

가슴으로 들어야 하니 깐

다짐

하루 종일 멍청한 텅 빈 말만 들어야 한 다니

곤욕이 따로 없어,

이 지옥에서 꺼 내줄 누군가도 없지

내 발로 나가야 해

내 힘으로 힘껏 도망쳐야 해

해낼 거야 난

지킬 거야 날

초를 켰고 힘껏 불어

모두 꺼버렸어,

전부 컨트롤 할 수 있어 나

갇힌 나방

나비였음 꺼내 주었을 까

아무리 벽에 부딪혀 봐도

출구 따윈 없네

내가 나방이 아닌

나비였으면

이곳에서 꺼내 주었을 까

손금

어떤 남자가 자신은 관상학원을 다닌다며

손금을 볼 줄 안다 했다.

내 손금도 봐 달라 했다

내 손금은 생명선이 남들의 반 밖에 없었다.

너는 60살쯤 죽을 거야

라 고했다.

60이면 살만큼 살았지

어차피 오래 살고 싶지 않아

집에 와 엄마에게

손금 본 얘기와 60살까지 산다는 말을 했다.

그런 소리를 한데,

그런 말 믿지 마 라 고 하시며

니가 60이면 내가 90넘겠네,

우리 같이 죽겠네,

라 고 하셨다.

엄마 90넘게 살아

같이 죽자.

3부

그들에게

복잡한 아이디어나

추상적인 것에 대한

의사소통은 불가능했다.

오로지 수와 관련한

통계만 오가는,

그런 생을 이어가며

스스로에게 만족하다니

부럽다고 해야 하나 이걸

그들에게

그는 유명하다.

그가 유명해지고 그것으로

돈을 벌 수 있었던 건

그에게 수치심이 없기 때문이다.

사실 그는 수치심 덩어리이다.

그러나 자신의 그 수치심을

타인에게 전가하고

타인을 조롱거리로 만들며

자신에게 있는 짙은 추악함과 불쾌감을

내면에 깊게 깔린 자격지심을

모두 타인의 것으로 덮어 씌워버린다.

그러한 행실로 인해

타인은 웃음거리, 유희거리, 조롱거리가 된다.

그것을 아는지 모르는지

그를 추종하는 이들도 생겨나

그는 유명해졌다.

업보 따윈 없이 남에 것을 탐하며 탐욕스러운
돼지로써

수치심 없이 잘 살고 있다.

'잘' 산다는 게 어불성설이지만

피와 시간

시간이 흐르는 것이 아닌

피가 흐르는 것이다

끓는 피가 흐를 때도

식은 피가 흐를 때도

멈추는 순간 고여 있는 순간

언젠가 분명 오겠지만

지금은 내가 멈춘다 해도

고이지 않는다.

계속해서 흐르고 있다.

그렇기에 걱정하지 않아도 된다.

시간이 아닌 피가 흐르는 거니까,

흐르고 흐르고 흘러

나는 존재한다.

어째서 삼켜야 하나

밥 그릇에 담긴 눈칫밥들,

겨우 입으로 우겨 넣어

꾸역꾸역 삼킨다.

너 잘되라고 하는 소리는

자신의 체면을 지키기 위해 하는 소리

귀로 찔려 뇌를 휘 적여 놓는다.

난 잘되고 있는데

밥 과 소리들로 고개는 점점 들 수 없어진다.

너에게

우울하면 달려갈

작은 잎사귀가

내 겐 없어,

혼자 두지 말았으면 해

날 원망하더라도

내게 달려와 줬음 해

날 미워하더라도

함께 살아가 줬음 해

입 속을 맴도는 슬픔을 삼키는 나를

감싸 줬음 해

너에게

응답이 없는 것도

응답이라고

이것이 너의 응답이구나

피하 지마

거리 두 지마

새까맣게,

아니 새하얗게

모든 일 잊게 해주었는데

어째서 지금의 응답이

이것인데

모든 게 내 잘못

이렇게 만든 내 탓

응답이 없는 것도 응답이지만

그래도 기다릴 게 너의 응답

꿈에서 라도 듣고 싶은 너의 응답

너에게

작은 고갯짓에

담긴 말들을

곰곰 히 되뇌어 본다.

나아지지 않는

나의 곁을 지킨 다는 건

고된 일 일거야

외로운 일 일거야

힘들었을 거야 많이

힘든 사랑이었을 거야

힘든 사람이었을 거야

할아버지

엘리베이터 안에서

중국 불량식품인 설곤약을 먹고 있었다.

엘리베이터 안은 설곤약의 향으로 가득했다.

같이 타고 있던 할아버지께서 물었다.

"맛있어요?"

"네"

"그거 얼마 에요?"

"600원이요"

"하나 더 먹고 싶어요?"

"네"

할아버지는 주머니에 구겨진 천원을

내게 내밀었다.

"괜찮아요"

"이뻐서 주는 거야"

"감사합니다."

천원을 받는 게 할아버지의 하루를 더 기쁘게
해 드리는 것 같아 천원을 받았다.

당신 얼굴

저승사자는 사랑했던 사람의 모습으로

나타난다는 말 들어 봤어?

그 말이 정말이라면

주저없이 기쁜 맘으로

널 따라갈 텐데

마지막 순간에 널 본 다니

그거만큼 기쁜 일이 있을까?

무너져도

무너진 턱 선 만큼

치기 어렸던 내 모습도

많이 무너졌어

생각은 열아 홉에

멈춰 있는데 치이고 치여

마음이 많이 무너졌어

태풍이온 순간 나무는 꺾여도

풀은 꺾이지 않는다는 말처럼

나도 얇디 얇은 풀 같아 졌나 봐

밟혀도 풀은 풀이니까

어려서 빛났던 그 시절처럼

사랑받을 수 있을 지도

안부

힘든 날이면 항상 내리던 비

그 빗소리에 위로 받고

좋아하는 노래 가사말에 위로 받고

붉게 물든 노을 빛에

위로 받으며

나는 잘 지내

안부

새드엔딩 으로 끝이 난 우리 둘의 결말이

시간이 지날수록 잊혀 지는 게 아닌

또렷해 지는 건

우리의 결말이 바뀌지 않는다는

것 이겠지.

다시 누군가에게 햇살이 되어주며

너는 잘 지내?

11월의 따뜻함을

잊지 말고 기억해 주었으면 해

용서 지침서

발 행 | 2024년 06월 13일

저 자 | 김리나

펴낸이 | 한건희

펴낸곳 | 주식회사 부크크

출판사등록 | 2014.07.15.(제2014-16호)

주 소 | 서울특별시 금천구 가산디지털1로 119 SK트윈타워 A동 305호

전 화 | 1670-8316

이메일 | info@bookk.co.kr

ISBN | 979-11-410-8963-4

www.bookk.co.kr